PREMIÈRE LECTURE

documents

l'eau

Roselyne Morel / Isabelle Molinard

ÉDITIONS G.P.
8, rue Garancière - 75006 PARIS

Elle court, elle court, la goutte d'eau !

Regarde l'eau qui bout dans une casserole : un nuage s'élève dans l'air. C'est de la **vapeur d'eau.** Regarde une flaque au soleil : bientôt elle disparaît. Sous l'action de la chaleur, l'eau se transforme en vapeur que tu vois (nuage), ou en vapeur que tu ne vois pas (humidité de l'air). On dit que l'eau **s'évapore.**

une flaque d'eau

Fabriqué en France
ISBN 2-261-02390-1
ISSN 0985-4703

des nuages

La mer couvre les trois quarts de notre planète. Quand le soleil brille sur les rivières, les lacs, les océans, des milliers de gouttelettes de vapeur s'élèvent dans le ciel et s'agglutinent pour former des **nuages.** Avec le froid, elles se transforment en gouttes de glace lourdes, qui tombent. En tombant, elles se réchauffent, elles fondent : il neige ou il pleut ! Parfois, tu as l'impression que les nuages sont descendus sur terre : tu es dans la **brume** ou le **brouillard.** Lorsque la pluie tombe en gouttes fines, c'est le **crachin ;** lorsqu'elle tombe soudain très fort, et puis s'arrête, c'est une **averse.**

La pluie vient grossir les torrents, les fleuves, les mers. En haut des montagnes, elle refroidit et alimente **glaciers** et **neiges éternelles.** Au printemps, la fonte des neiges grossit encore les rivières : les rivières sont **en crue.**

La pluie contourne les roches **imperméables** qu'elle ne peut franchir. Mais elle **s'infiltre** dans le sol **perméable.** Des ruisseaux, des **nappes d'eau** se forment sous la terre. L'eau en jaillit quand elle rencontre une ouverture : c'est une **source.** La source devient **ruisseau,** puis, avec la pluie et l'arrivée d'autres ruisseaux, **torrent, rivière, fleuve.** Les **affluents** se jettent dans le fleuve au **confluent.** Le fleuve se jette dans la mer à son **embouchure.** Souvent, à cet endroit, il se divise en de nombreux **bras** pour former un **delta.**

Quand la pente est faible, la rivière, paresseuse, contourne les obstacles et dessine des **méandres.** En montagne, au contraire, elle bondit par-dessus l'obstacle et forme des **cascades,** des **chutes** impressionnantes ou des **rapides.**

Parfois une partie de la rivière s'échappe par un chemin souterrain et ressort plus loin : c'est une **résurgence.** Les **spéléologues,** qui explorent gouffres, grottes et cavernes, ne parviennent pas toujours à suivre les cours d'eau souterrains jusqu'au bout.

des méandres

L'eau se transforme

Souffle sur la vitre : ton souffle chaud et humide, au contact de la vitre froide, forme de la **buée.** L'humidité **se condense** avec le froid et forme des gouttelettes. Quand l'air est humide et chaud mais le sol froid, de la **rosée** apparaît.

L'eau se transforme sous l'action de la chaleur et du froid :

– Eau + chaleur = vapeur d'eau (gaz). C'est l'**évaporation.**
– Vapeur d'eau + froid = eau (liquide). C'est la **condensation.**
– Eau + froid = glace (solide). C'est la **congélation.**

des cristaux de neige

L'eau **bout** à 100 °C. Elle **gèle** à 0 °C.

L'hiver, avec le froid, la fine couche humide sur les vitres et les arbres devient du **givre.** Les routes se couvrent de **verglas.** En mars, la pluie tombe soudainement, parfois mêlée de **flocons** de neige et aussitôt suivie d'une éclaircie. Ce sont les **giboulées.**

La neige est formée de **cristaux,** tous différents. Le **grésil** est une neige serrée et sèche, faite de gouttes d'eau gelée et non de flocons. Quand la goutte d'eau gelée tombe dans un air froid, elle grossit de plusieurs couches de glace : c'est un **grêlon,** quelquefois gros comme une orange!

Dans la nature, l'eau pure n'existe pas. La mer contient du sel, mais tu ne le vois pas. L'eau du robinet contient du calcaire, tu ne le vois pas non plus. Quand elle bout, elle laisse du **tartre** (calcaire) dans la bouilloire. Pour obtenir de l'eau pure, il faut la **distiller,** pour séparer l'eau des **sels minéraux.** Ce sont de minuscules parcelles de métal ou de roche que l'eau a emportées en passant dans le sol. L'**eau minérale** en contient beaucoup. Certaines eaux minérales sont des médicaments.

une station thermale

Les **glaciers,** formés d'une eau presque pure, renfermant très peu d'air pur, prennent souvent une teinte bleue. L'eau change de couleur selon la nature des particules qu'elle transporte, le fond sur lequel elle coule, la profondeur et la couleur du ciel qui s'y reflète. Elle peut être grise, bleue, verte ou violette.

Dans les profondeurs de la Terre, il fait très chaud. L'eau qui jaillit des nappes souterraines très profondes est chaude : ce sont les **sources thermales,** ou les **geysers.** Ces derniers atteignent 15 mètres de haut. Ils jaillissent environ toutes les dix minutes. En Islande, ils servent à chauffer des villes entières!

des geysers

L'eau est nécessaire à la vie

Le corps d'une méduse est composé de 90 % d'eau. Le corps humain en contient 60 %. Sais-tu qu'un homme peut supporter d'être privé de nourriture quelque temps, mais qu'un homme qui perd 5 ou 6 litres d'eau est en danger de mort ? Les plantes ont, de la même façon, besoin d'eau. Leurs racines pompent dans le sol l'eau et les sels minéraux qui leur sont nécessaires.

Rien ne pousse dans les **déserts.** Mais si par chance une source jaillit, ou si une nappe d'eau alimente un puits, aussitôt tout devient vert : c'est l'**oasis.** À l'inverse, la forêt équatoriale est tellement gorgée d'eau que la végétation y pousse d'une manière démesurée : on ne voit plus le ciel !

La forêt contribue à maintenir le cycle de l'eau. Elle empêche le sable de s'envoler, de remplir les rivières et de transformer les terres cultivables en désert. Mais surtout, les arbres, en transpirant tout comme nous, rejettent de la vapeur d'eau. Un chêne dégage ainsi l'équivalent de 1 500 litres d'eau dans l'air chaque jour.

L'eau des mers est salée. L'homme en tire profit. Dans les **salines,** il fait s'évaporer l'**eau de mer** et recueille les cristaux de sel.

Mais pour boire, pour se laver, l'homme a besoin d'**eau douce.** Sur les bateaux, pour les longues traversées, des machines pompent l'eau de mer et en font de l'eau douce pour les passagers. Cent litres d'eau douce par jour et par personne sont nécessaires actuellement, en comptant l'eau utilisée pour les jardins publics, les écoles, les hôpitaux, etc. Il nous faudra de plus en plus d'eau douce. Certains ont imaginé de faire fondre la glace des pôles. Celle-ci repré-

une oasis

sente en effet 90 % de l'eau douce – gelée! – à la surface du globe. Si on le faisait, Paris serait noyé sous 40 mètres d'eau. La tour Eiffel serait une île! D'autres ont pensé remorquer des **icebergs** (gigantesques blocs de glace flottante) jusqu'aux régions sans eau.

L'homme doit veiller à la propreté de l'eau. Il ne doit pas la gaspiller. Pour économiser l'eau des rivières et des lacs, on dessale l'eau de mer et on **recycle** les eaux sales et usées (on les nettoie, en les filtrant), dans des **stations d'épuration.**

Le travail naturel de l'eau

Imagine un petit tas de sable sur la route. Une averse éclate. La pluie emporte le sable. Elle lave, elle nettoie la route. Et elle prend au passage des parcelles minuscules, sur ou dans le sol. Les chercheurs d'or le savaient, eux qui filtraient les rivières à la recherche des précieuses paillettes ! L'eau contient des métaux, des sels minéraux. Elle alimente les plantes et les poissons qu'elle abrite.

Comme le tartre dans ta bouilloire, comme le sel dans les **marais salants,** l'eau qui transporte du sable, des graviers, des galets les dépose : ainsi se forment les plages. Les fleu-

des marais salants

ves, en débordant, déposent des **alluvions,** à l'origine de la formation des plaines. La terre fertile de leurs rives – le **limon** – permet de riches cultures.

À l'inverse, l'eau peut détruire les plages. Comme la température du globe se réchauffe, les glaces des pôles fondent et le niveau des océans monte de 1,5 cm tous les dix ans. La mer recouvre peu à peu les grandes plages plates.

En l'absence de forêts, les rivières s'affaiblissent. Au lieu de l'entraîner, elles déposent le limon dans leur propre lit. Elles le comblent et bientôt cessent de couler : c'est la **sécheresse** et la **désertification.**

Avec l'aide des grains de sable ou des galets qu'elle charrie, l'eau qui bouillonne ou se jette avec force contre les rochers les use peu à peu : elle sculpte les falaises, elle creuse les vallées, les gorges, les canyons, aidée en cela par le vent. Cette usure s'appelle l'**érosion.** La rivière creuse des **marmites,** des trous ronds où elle tourbillonne, dans son propre lit. Selon qu'elle rencontre un sol dur ou tendre, l'eau creuse des **grottes** et des **arches.** Dans les grottes, l'eau qui goutte forme en s'évaporant d'extraordinaires sculptures de calcaire : les **stalactites** et les **stalagmites.**

Lorsqu'il fait très froid, l'eau qui s'est glissée dans les fissures des rochers gèle. Elle augmente de volume et fait éclater la roche.

Tu le vois, l'eau dessine nos paysages.

L'homme met l'eau à son service

De tout temps, l'homme a tenté de capter l'eau. Chez les Romains, et sous Louis XIV, toute personne qui salissait une source ou un cours d'eau était punie. L'eau coulait aux **fontaines,** dans les **lavoirs;** on la tirait des **puits** et des **citernes.** De nos jours, des kilomètres de tuyaux et de **canalisations** amènent l'eau dans nos maisons. Les Romains, déjà, construisaient d'immenses **aqueducs,** comme le Pont du Gard, pour transporter l'eau. Pour **irriguer** les champs, c'est-à-dire leur apporter de l'eau, les anciens Égyptiens la captaient au moyen d'une roue à laquelle ils accrochaient des godets en terre : la **noria.** La noria existe encore aujourd'hui.

L'eau est détournée de son cours quand on en a besoin pour les péniches ou les champs. De nouvelles voies d'eau sont ouvertes : les **canaux.** Les seigneurs détournaient l'eau pour remplir les fossés de leurs châteaux.

L'eau sert beaucoup aux transports : à bord des bateaux, l'homme voyage, explore le monde, fait du commerce.

L'homme a découvert que la force de l'eau lui fournit de l'énergie : il a inventé le **moulin à eau.** Puis il a utilisé la **force motrice** des chutes d'eau pour fabriquer de l'électricité. Il a construit des **barrages.** Les **usines marémotrices** se servent, elles, de la force des vagues.

Pour stocker ses réserves d'eau douce, l'homme a construit des **châteaux d'eau,** des **réservoirs,** des **lacs artificiels.**

un barrage

Noé a échappé au déluge en construisant son arche. L'homme se protège de la mer en construisant des **digues.**

Les usines consomment une grande quantité d'eau. Elles ont besoin, comme nous, d'une eau propre. Or elles rejettent des déchets chimiques dans les rivières et la mer, tout comme nous y rejettons nos détergents et nos détritus. Un grave problème se pose : la **pollution.** Il faut nettoyer la rivière ou la mer pour avoir de l'eau où se baigner, de l'eau que l'on peut boire, de l'eau propre pour l'usine. C'est le rôle des **stations d'épuration.** Les cosmonautes, qui ne peuvent emporter qu'un petit volume d'eau, utilisent de l'**eau recyclée** à bord des cabines spatiales.

tu peux te baigner
si la plage est sans danger !

L'eau dangereuse, l'eau bienfaisante

Tu ne dois jamais marcher sur des **sables mouvants :** ce sont des sables gorgés d'eau, dans lesquels on s'enfonce sans parvenir à remonter.

Certaines rivières transportent des parasites, surtout dans les pays chauds. Il ne faut pas s'y baigner, sous peine d'attraper des maladies.

Certaines eaux ne sont pas propres à la consommation. Avant de boire à une fontaine, tu dois toujours t'assurer que l'eau est **potable.**

Avant de te baigner, vérifie que la **baignade** n'est pas interdite : les vagues peuvent être dangereuses; des tourbillons, des syphons peuvent exister à certains endroits, à certains moments, même si tout te paraît calme, ou l'eau peu profonde. N'oublie pas d'entrer lentement dans l'eau; n'y entre jamais d'un seul coup après avoir eu trop chaud. Tu pourrais mourir d'**hydrocution.**

Tu ne dois jamais toucher à un bouton ou à un appareil électriques en étant mouillé (les mains humides, ou les pieds nus sur le sol mouillé, par exemple). Tu pourrais t'**électrocuter.**

un arc-en-ciel

Les **inondations,** les **tempêtes** quand l'Océan se déchaîne te montrent que l'eau peut être redoutable. Mais l'eau que tu bois à la gargoulette dans les pays chauds est le symbole de l'hospitalité. L'eau minérale, l'eau des sources thermales nous soignent. L'eau des geysers nous donne énergie et chaleur. L'eau, en décomposant la lumière, nous donne les couleurs de l'arc-en-ciel. Enfin la mer, qui monte (c'est le **flux**) et qui descend (c'est le **reflux**) toutes les six heures, nous donne l'heure. Sais-tu que c'est la lune qui, en attirant la mer, commande les **marées?**

L'eau **désaltère :** elle apaise la soif. Elle est un élément essentiel à l'hygiène : pour la toilette, le nettoyage de la maison, de la vaisselle, des vêtements. Elle purifie : on lave les plaies avec de l'eau bouillie. Elle sert à la cuisson des aliments, à l'arrosage des jardins et des champs.

Elle est aussi une formidable source de nourriture pour l'homme qui, de tout temps, a été pêcheur. Des savants, à bord de leurs cabines sous-marines, étudient même la possibilité de créer des fermes dans le fond des mers.

L'homme sait faire face aux dangers et à la force de l'eau. Il sait l'utiliser. L'eau lui est indispensable. Sans eau, il n'y aurait pas de vie.

un barrage
un geyser
des falaises
(érosion)
un glacier
des nuages
un iceberg

une méduse
une source
des cristaux de neige
une oasis
une cascade
des stalactites

Cet album,
dont la sélection et les films
ont été exécutés par la photogravure
A.R.G. à Antony, a été
achevé d'imprimer sur les presses
de l'Imprimerie Oberthur
à Rennes.

Dépôt légal n° 4814 Octobre 1988

551.4
MOR
Morel, Roselyne.
L'eau
9321.